ブラを燃やす。恋をする

アルフィ 作

ハナ 訳 安田葵 監訳

UR OWN XXX by Alfie Lee 레즈비언 단편 만화집

Korocolor's GraphicNovel with Basue 0.0.3 からころ

目次

　私の初めての本の日本語版を手に取っていただき、ありがとうございます。

　本書の原題は『ur own xxx』と言います。これは、何かを記録し、それを出版することが、同じような経験を持つ誰かの役に立つということを教えてくれた漫画ブログのタイトルです。

　何かを記録することは、フェミニスト活動家になろうとする人たちに比べれば些細なことかもしれません。それでもいつか誰かがこの本を読んで「ああ、この時のフェミニスト・レズビアンはこんな悩みを抱え、こんな愛を分かち合って生きていたんだ」と思ってもらえればうれしいです。それは2024年の私たちが1960〜80年代の先輩フェミニストを忘れずに愛するため、稀少な本を求めて古本屋を探し回るような気持ちかもしれません。

　この本の話は3分の1ずつで構成されています。すなわち3分の1は自分の話、3分の1は知り合いの話、そしての残りの3分の1は私の想像というふうに。そして、多くの読者が私の想像で描いた部分を「これは自分の話だ」と言ってくれました。「ソフトクリームよりは棒アイスが好き」だとか、「家ではパジャマではなくTシャツと短パンを着ているとか」そんな些細な反応まで……。本を出版したことで得た最も予想外の喜びを挙げるとすれば、まさにその瞬間だったように思います。

どんなに共通点が少なくても、私たちの目の前に人がいれば、その人の心に寄り添うことができます。なんとなく気になる存在にいつの間にか親近感を抱いていた……という自分を発見することもあるでしょう。

　私は、ストーリーがキャラクターを動かすのではなく、キャラクターがストーリーを動かす漫画作りを目指しています。私と同じようなタイプの作業過程が似ているクリエイターのインタビューを見ると、「キャラクターに引っぱられて、ストーリーが思わぬ方向に進んでいく」という言葉を目にすることがあります。

　本書では、それほどキャラクターを自由にさせていませんが、読者の方々が作中のキャラクターに「人間らしさ」を感じ、さらに「親しみ」を感じてもらえたらと思っています。その過程でお互いを知らない私と読者の方々が繋がることを願っています。

　もちろん、この話をより身近に感じている方が読んでくださったら、きっともっと嬉しいです。たとえば、レズビアンでフェミニストというアイデンティティを持ち、自分と似たような人が登場しない漫画には興味がなかった人、韓国にいる誰かとつながりたいという願望を持つ人、「愛とは何か」という自分だけの定義を求めていて、それを他人の定義となぞらえて語るのが好きな人……。

そんな「私たち」が分かち合うコミュニケーションの根底には、世界のどこか別の場所で暮らしている女性が自分として存在していて、それゆえにその女性が幸せになることを願い姉妹愛がきっとあるのだと思います。

　だからこそ、いつも元気を与えてくれる日本のミュージシャン、iriさんの「Season」の歌詞のように今の時代を全力で駆け抜ける日本の女性やクィアの方々には尊敬の意を表します。

　遠く韓国からColaboの仁藤夢乃さんの活動を見て姉妹愛を再確認し、伊藤詩織さんの勝訴を見てどんなに喜んだことでしょう！「私はあなたたちのことをこんなに知っています」というありふれたメッセージを伝えるまでもなく、私はきっとどこにいてもあなたたちを応援しています。

　私たちがお互いに存在していることの証明（エビデンス）になれることを願いつつ、本という形にしてくださった「ころから」のみなさんにも尊敬の気持ちを表します。

　　女性の日を控えた2024年3月7日
　　Alfie

0°C

2020.03.22 POSTYPE, dillyhub* 発行   *https://kr.dillyhub.com/

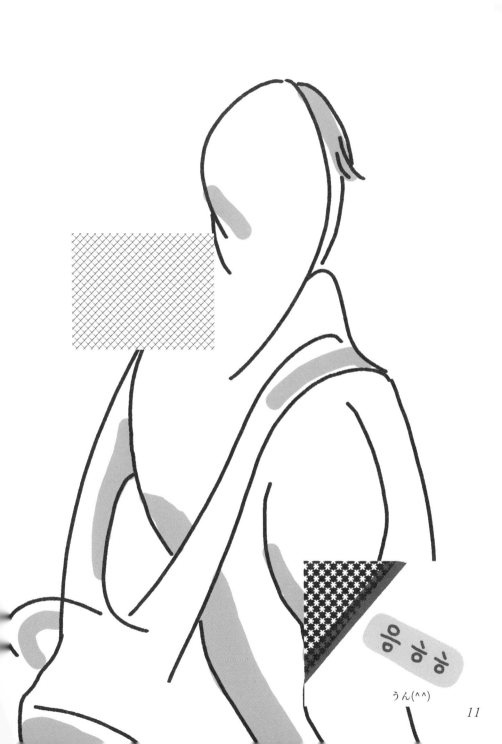

うん(^^)

11

私はレズビアンだ
世間ではよく…

異性愛者の女性への片想いは
レズビアンの宿命だといわれる

「それはオーバーだよ」と
ダヒはパンをアヒージョに浸しながら
言った

「最初からレズビアンバーに
行けば問題ない」だったっけ?

でも出会ったその日から
スキンシップするなんて私には無理

おかしい…?

これって

おかしいこと
なのかな?

とにかく そんなわけで私は今ヨンジュを待っている

ヨンジュは
いつも明るくて
元気いっぱい

その元気の源は
たぶん宗教*だ

教会に通う人がレズビアンの
可能性はどれくらいあるだろうか？

おそらく70％以上の確率で
レズ嫌いの相手を好きになるなんて
頭がおかしいと思う

* 韓国の宗教人口は総人口の約50％。中でもキリスト教徒は約30％を占める

でも私は
賭けてみることにした

今日も
ビビンバに
する？

いいよ

奨学金入ったし
私のおごり！

わ〜

どうせ自然な出会いを求めるなら
何も起こらないよりは
身近な人に片想いでもしたほうが
マシという結論だ

風化するまんこ

さらさら…

今日は定休日
だって…

えっ!?

ヨンジュは少し抜けている
何も考えていないと言うべきか…

でもなぜか成績は良い
好きになるとそんな所さえ
魅力的に見えるもの

←いつも
図書館にいる

14　0℃

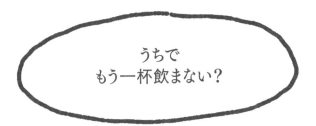

ちょっと

なんで…

なんで拒否しないの！

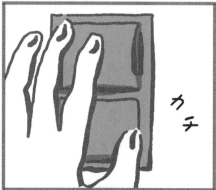

遅れて
ごめん

平気

今日行こうって
言ってたとこ？

うん

変わった
名前ね

でしょ？ 実は
レズビアンバー
なんだ

じゃあレズしか
入れないの？

たぶん

んー…

なんで？

502（Bad gateway）エラー

2019.09.19 POSTYPE 发行

　502（Bad gateway）エラー

私はあれが
愛だと思ってた

セミン

私もそう思ってたし
他の人だって同じ！

みんな
そうやって生きてる。
なのにあんたの
信奉するフェミニストは
それもダメって？

まるで
洗脳されたみたく
言わないで

フェミニズムが
あんたを養ってくれる？
前より幸せじゃないって
言ってたじゃん

それでも
バカなままで
いるよりはマシ

私といるのは
バカな生き方で
孤独に坊主頭で
生きるのが
賢いってわけ？

そう これ以上
あんたにまんこ
かき回されて
男にレイプされた気に
ならなくて済むし

おい！

セミン！

Ｊのはなし

2019.04.22 POSTYPE 発行

Jは大人になるまで
波乱万丈でした

同級生より
胸が大きかったせいで

小学生の頃から
男子の言葉の暴力は
日常茶飯事

巨乳

AVして!

キモチイー

ちなみに 性的対象化されたアニメキャラを
見るたびに変な気分になったのは また別の話

とにかく
元気溌溂

いつも乳首が
立ってる

Jは17歳の時
全ての原因は
胸にあると
悟りました

服を買いに
行くと…

こう
じゃない

パンツが
丸見え

Jが着たかったのは
胸が強調されない
すっきりとした
カジュアルな服でした

でもすぐに
かっこいいシャツは
自分には似合わないと
悟ったのでした

胸のせいで
あのシルエットに
ならないんだ

Jの身体への嫌悪は
こうして始まりました

胸を
なくせたら
いいのに…

他の女性たちと同じく
常に自分自身をジャッジしていました

痩せたら
胸も
なくなるかな?

いや
問題は
肉か…

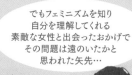

でもフェミニズムを知り
自分を理解してくれる
素敵な女性と出会ったおかげで
その問題は遠のいたかと
思われた矢先…

幼い頃からの記憶は
そう簡単には
消えないもの

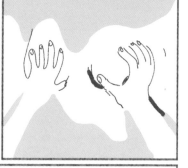

胸への嫌悪感は
再び首をもたげ始めたのです

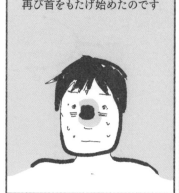

Jは愛する彼女との関係を
改善するため 勇気を出して言いました

ほんとは
胸を触られるの
嫌だったんだ…

感情移入しやすい恋人を
なだめるためJはさらに
ベッドで30分を費やしました

平気

そんなことが
あったなんて
知ってたら絶対に
触らなかったのに
ごめんね〜〜

私も
今日のことが
なかったら
忘れたまま
だったよ

長い説明の末 幸いなことに
思慮深い恋人は J を
理解してくれたようです！

いい人に
出会えて
よかった

ほんと
ごめんね〜

その後 2人が再び
Jの胸の話をしたのは
付き合って6カ月になる頃でした

あのさ
変な意味じゃないから
誤解しないで聞いて

何？

私
あなたの胸が好き

いきなり？

43

あんなに手術したいって言ってたくせに

そのお金で旅行させてよ

Jが何を考えたのかは分かりませんが

しばらく胸の縮小手術の話をすることはなさそうです

なんか得した気分！

fin

ままならぬままに 1

2019.04.22 POSTYPE 発行

今日は
気分イマイチ
なのかな

さっき
夕飯食べた店の
口コミ

何それ？

うん
すっごく

おいし
かったね

ただいま〜

のど
乾いた

水！

ゴク

ゴク

水がうまい！

ずいぶん一生懸命
運動したんだね

さっきから
何なの

あのさ…
話があるなら
遠慮しないで

やっぱいい
言ったらダメな
気がする

!?

よく分かんないけど
深刻そうじゃん
ルームメイトとして
知っといたほうが
いいと思うけど?

うーん…

あんただって
黙ってるのは
つらい
でしょ〜

私
あなたのことが
好きみたい

私 レズだから
そういう意味で
好きってこと

そういう意味？
そういう
意味って？

ぎくしゃくするに
決まってるのに
言えるわけないでしょ
ルームメイトに…

あなたにとって
私はただの友達で
そういう意味で仲良くして
くれてるんじゃないって
分かってんだけど

そういう意味＝セックスする仲
女とセックス＝してみたい
それをジュヒと＝？

でも
言っちゃった

ジュヒが嫌い＝ NO
知らない男 VS ジュヒ＝ジュヒ
ジュヒとセックス可能＝？？

ちょっと
大丈夫？

私はいいけど
平気なの？

じゃあハグから
試してみよっか

嫌なら
言ってよ

分かってるって
私も大人だってば～

あったかい…

ちょっと待って！
私は今!!
一体何を
やってんの!?

自分が女も好きになれることに
気づいてから いろんな彼女を
妄想してたけど…

カン・ジュヒ

・ 同い年

・ ルームメイト

・ 大学生

・ 脱コルセット*後
ブラジャーをやめて
スポーツを始めた

・ ラーメンを1度に
5袋まで食べられる
（この目で見た）

その相手が
ジュヒに
なるなんて

想像も
してなかった!!

*　**脱コルセット**：2016年に韓国で起こった、社会から求められる「女らしさ」を
拒否し健康と活動性を志向する女性たちによるフェミニズム運動

けど このあと
どうすればいいの？

私はジュヒと
何がしたいん
だろう？

スヒョンは私と
何がしたいん
だろう？

ジュヒの心を
弄(もてあそ)んでるように
見えたら
どうしよう？

あんたみたいな
クズとは
一緒に住めない

ジュヒ！
あなたに
出て行かれたら
家賃が2倍に!!

これでも
まじなつもり
なんだけど…

61

考えてみれば…
恋人たちがやるようなことは
全部やりつくしてるのに
付き合って何が変わるんだろう?

映画鑑賞:やってる

笑わせる:やってる

スキンシップ:やってる

変な自撮り:やってる

やっぱり…

アレしか
残ってない
!!!!

私さっき
なんであんなこと
言ったんだろう?

ジュヒのあんな
自信なさげな姿
初めてだった
から…

何かして
あげたかった…
抱きしめたら
期待させる
ことになるのに

あんなに手が
震えてるのも
初めて見た

それに何より
ジュヒとなら
大丈夫な気がした

私たち2人なら
お互いを損なわない
関係になれそうだと
思った

…ほんとだ

その後日談

2019.04.22 POSTYPE 発行

＊　ブラを燃やす：脱コルセットした女性たちが行うパフォーマンス。女性の体を
　　商品化するハイヒールやブラ、化粧品などを燃やす。

ままならぬままに 2

9月末 OPEN

スヒョンは
友達の友達だった

初めて会った時は
引っ込み思案でおどおどした態度に
面白くなさそうだと思った

実際 飲み会で
盛り上がるタイプではない

そんなスヒョンと
言葉を交わしたのは…

…大丈夫？

あ、はい…

敬語…

．．．．

もうすぐ
秋か

私 先に
戻るね

あ、
はい

それとタメ口でいいよ
あんたユジンの同期でしょ！

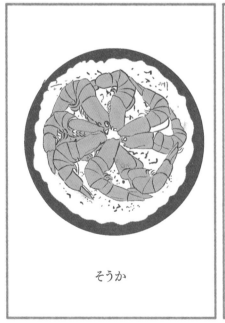

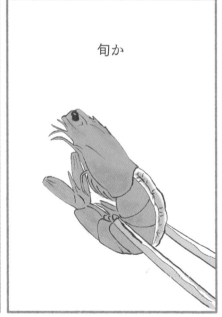

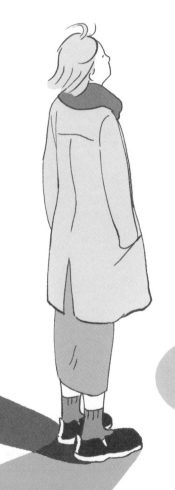

だんだんと
寒くなる頃の公園で
立ち止まる

そして大きく
息を吸うと

プールで水を飲んだ時のように
鼻の奥がツンとする

小さい頃から
この匂いが大好きだった

話しても
理解してくれる人は
ほとんどいなかったけれど

母も妹も 仲良しの友達も…

何してるの
もう行くよ!

そして季節は流れ
スヒョンはうちに遊びに来ては
泊まっていく仲になった

あ!!

プッ

ジュヒってば
ほんと嫌い!!

違うくせに

何が?

それが恥ずかしくて
嫌だった

仲がよくても 打ち明けることは
永遠にないだろうと思った

知ってるでしょ？
私たちみたいな
人間は…

秘密は多いほど
いいものよ

あの時打ち明けなければ
今の私たちは
どうなっていただろう？

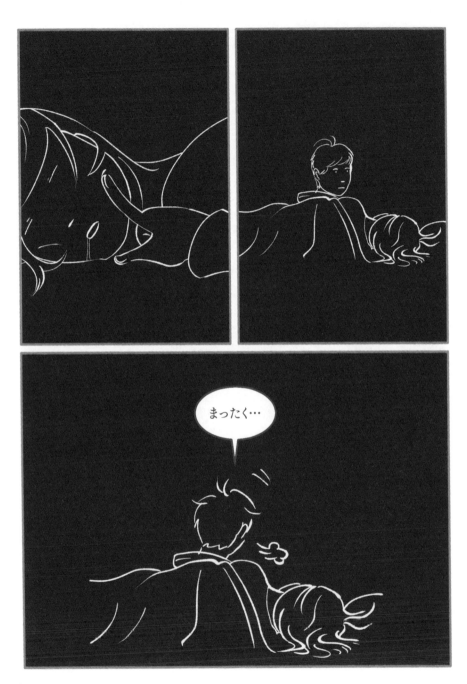

ままならぬままに 3

2021.04.28

彼女ができた

好きだと言ったらキスをしてくれた

そして「照れるね」と言って笑った

私たちはいろんな話をしながら
眠りについた

最初に
好きになった
飴（あめ）の味

先週会った
スヒョンの知り合いが
レズビアンだということ

スヒョンが
生まれて初めて
愛した犬

柔軟剤の匂い
蹴飛ばした布団が
ふわりと落ちてくる間に漂う
ほこりの匂い

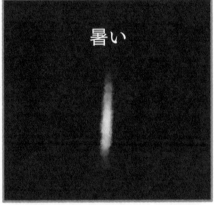

暑い

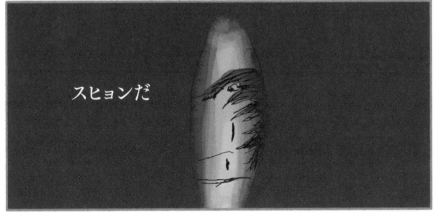

スヒョンだ

スヒョン

私の彼女

離してよ!!

うわっ

あはは

くく

がやがや

ははは

「つらいことでも
あった?」って
聞いてくれないの?

ん?

ガバッ

どうしたの？

何でもない

？

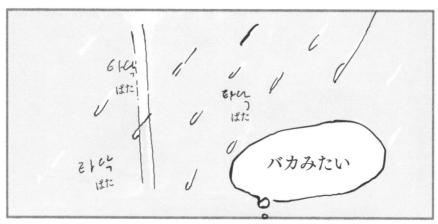

ままならぬままに 4

彼女ができた

行ってくる

2人とも大学生だ

講義ないの
うらやましい
でしょ〜

ムッカー！

可哀想なジュヒ
抱きしめて
あげようか？

…

ほんとに
行くね

恋人になると
よそよそしくなるものなの…？

恋人になると
起こりがちな事

コント禁止
つまらなくなる
etc.

それとも私が 何かやらかした…？

床でお菓子を
広げる

いひひ

ところかまわず
おならする

ぶっ

もう！

思い当たる
ことが
多すぎる！

今までだったら…

コント

よしよし
おばちゃんが
学校に「メッ！」して
あげようね

学校
行きたく
な〜〜い

コケにする

いい大人だから
そんなの必要ないし

けっ

まさか あれ全部
待ってる人？

ウェイティング・
リストもいっぱい

予約
されました？

中に連れが
います

* 君は食べてる時一番かわいい

1皿1万ウォン以上する…
いつもならコスパを考えて
それぞれ違うメニューを
シェアするとこだけど…

今日のジュヒは
何だかおかしい

ボンゴレパスタが
2万ウォン超えって
ありえないっしょ!

117

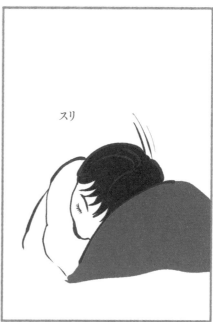

ままならぬままに 5

韓国で女性が髪を短くして生きるのは
程度の差こそあれ困難がつきまとう

聞かれてもいないのに
「頭の形がよくないからショートは無理」と
自分を卑下してくる人なんて
まだ可愛いほうだ

男のマネして楽しい?

実はレズじゃないの?

お前フェミだろ?

ペッ!

퉤!

(最後の2つはあってるけど…)

ともあれ私は
今の自分が
気に入っている

行って
らっしゃい

うん

おはよ〜

おはよう
ございま〜す

スヒョンさん いいことでも あったん ですか?

え? 別に…?

誰にも言えない喜びで 舌先がむずむずする時は 唇を固く閉じて我慢する

でも輝く瞳や浮かれた仕草は そう隠しきれるものではない

ピョコ かたん

自分がそんな風になっていると 自覚するのは なおさら難しくて

そんな時 出来ることといえば…

絶対 何か あるでしょ

せいぜい楽しそうな顔で
うなずくことくらいだ

いらっしゃい
ませ〜

あとで教えて
くださいね！

分かった

ほんとに
教える…？

そういう
立地だから

ほんとうに
この時間帯は
忙しいですよね

あいつは
来ても役に
立ちません

サンウク
早く来ない
かな

135

以前にも女の子と付き合ったことあるんですか？

ううん
今回が
初めて

彼女さんも先輩が初めて？

…それは
どうだろう

小学校の友だちにも男女両方と付き合う両性愛者？ バイ？ の女子いますよ

へ～

付き合ってどのくらいですか？

ええと…
2ヵ月？

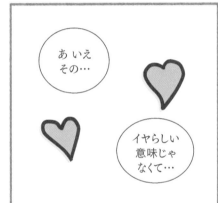

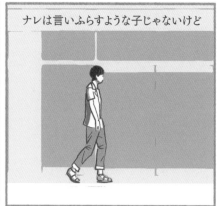

そうだったらいいな…

でも先輩は
男とも
付き合ったこと
あるんでしょ?

あ…うん

どうして
あんな嘘
ついたんだろう

うーん…

ただいま

おかえり〜

141

ままならぬままに 6

何？

金曜日
時間ある？

なんで？

もしかして
デート…？

友達を
紹介しようと
思って

あ…

151

個人的な信条と環境への配慮から
化粧はやめたけど…

初対面の人に会う時は
自分の外見がどう見られるか
やっぱり気になる

知らないうちに
シミが出来てる

あごにニキビ…
最近ずっと夜更かし
してたから

あ

こんな風に
自分の体の粗探しを
始めるとキリがない

もう
やめて
行こ

ジュヒ
今どこ？

5つ前の
バス停だって

じゃあ
20分くらい
だね

うん

スヒョン！

ジュヒ〜

あ…
こんにちは

こんにちは

私たち
会ったこと
あるんですよ

前に
飲み会で…

ズズー

あ〜〜

じゃあ
タメ語で
いい？

あ…はい

まだタバコ
吸ってるんだ

うん…

うちらの関係を
彼女に言わなくて
いいの?

関係って?

165

ままならぬままに 7

部屋によんだとき
スヒョンはがっかりした
顔だった

かわいい
じゃん

ぷっ

…ヤッた?

なんで
そんなこと言わなきゃ
いけないの!?

冗談だよ〜

冗談でも!
彼女への
マナー違反
でしょ!!

分かった
分かった

スミンは
そこまで変態じゃ
ないって

けど彼女
みんなで会った時より
よくしゃべるし
性格良いじゃん

でしょ

私も人が多いと
しゃべらないし

だよね
私も会うまでは
無口な人なんだと
思ってた

ソヨンとの仲が
こじれたままなら
絶対にスヒョンを
会わせたりしなかった

だけど私たちは
最初にキスした時
お互いに確認し合った

これは実験で
「相手がソヨンで
なくてもかまわない」
のだと

ソヨンと私は2年前に
私が交換留学生として
外国に行った時に終わった

だから…大丈夫だよね？

ジュヒ

…ダメかな？
スヒョンは裏切られ
たって感じる？

来週 映画祭が
あるんだけど
一緒に行かない？

え？

知り合いが
スタッフやってて
タダ券もらったの

え？あ…

この店
地域マネー＊も
使えない
なんて！

何の話
してたの？

別に

＊　**地域マネー**：特定の地域やコミュニティー内のみで流通、使用できる通貨

ふー

スヒョン
私 浮気して
ないからね…

うわあっ!!

わっ!

びっくり
した〜〜

ふふ 今日
楽しかった?

うん
昔からの
友達だし〜

ていうか
スミンがエロい話を
したがってさ〜

あはは すれば
よかったのに

私たちの
そういう話を
しろっての?

そうじゃなくて
それに…どうせ
しないでしょ?

ジュヒが
そんな人なら
付き合って
なかったし〜

それは
そうだけど…

175

…スヒョン

ん？

今まで私が
付き合った人って
気になる？

気にならないって
言ったら
嘘になるけど

それのどこが
悪いの?
私はうれしいよ

嘘でしょ…
そんなに態度に
出てた?

これじゃ
駆け引きなんて
無理だ

本人が知らなかっただけで
ジュヒの駆け引きはばればれだった

ままならぬままに 8

4時間前

弘大*は
久しぶり…

そういえば
クラブ通いをやめたのと
スヒョンと付き合い
始めたのって
同じ時期だっけ？

いや…その前に
バーニング・サン**が
あった

チク

レズビアンバー…

いらっしゃいませ
おひとり様
ですか？

はい

＊　**弘大**（ホンデ）：弘益大学周辺の学生街。若者の流行発信地
＊＊　**バーニング・サン事件**：2018年にソウルのナイトクラブで起きた暴行事件を発端とする売春斡旋（あっせん）・麻薬・脱税など一連の事件の総称。韓国のフェミニズム団体がデモや抗議活動を行った

191

あんたは
うまくいって
るんだ？

私の代わりに
あんなコミュ障と
付き合ったの！

ソヨン 飲みすぎ
連れがいるでしょ

どうせ2時間前に
会ったばかりだよ
あんたにも紹介する？

マジで酔ってるね
これ以上 後悔するような
真似しないで

酔ってるから？
みんなお酒のせい
だっていうの？

もう
昔の話じゃない

最初に
キスした時に
言ったよね
私じゃなくても
いいって

だから私も
ソヨンじゃなくても
いいと言った

でも本当は
そうじゃ
なかった

・・・

私たち
あんなこと
すべきじゃ
なかったの

ジュヒ 私は
あの時…

あれはお互いを
傷つける言葉だった

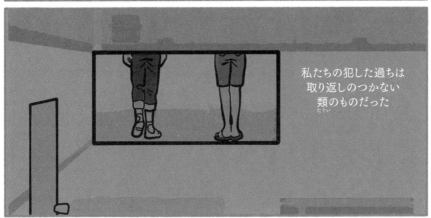

私たちの犯した過ちは
取り返しのつかない
類のものだった

…ごめん

私は
スヒョンに出会って初めて
その人とでなければ
できないキスをした

そしてもう
以前の自分に
戻ることは
できないだろう

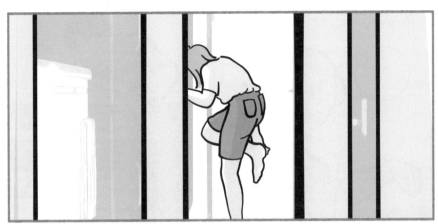

ただいま～

おかえり～

何？

どうしたの～
今日は
疲れた？

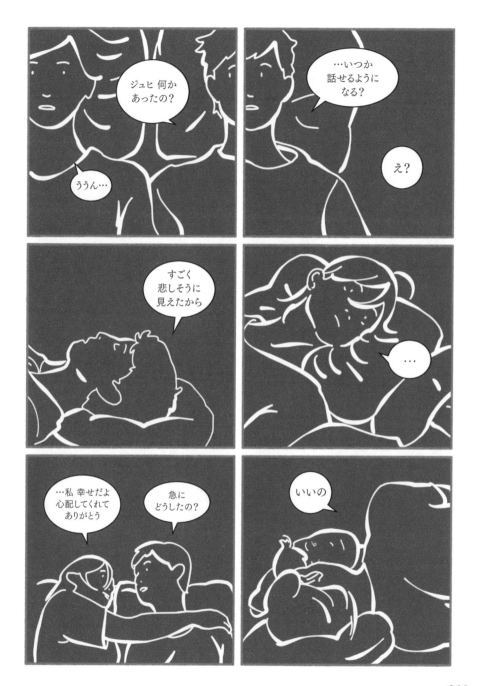

　本書は、韓国の作家アルフィによる3つの短編作品と連作「ままならぬままに 」に大きく分かれます。

　「0℃」「502（Bad gateway）エラー」はレズビアンたちが、他者の言葉や社会からの目によって傷ついていく様子を、そして「Jのはなし」では同性の恋人との関係がその傷を癒してゆく様子を描き出しています。一方、連作の「ままならぬままに 」は、ジュヒとスヒョンの2人の関係を追う物語です。2人の出会いから、ルームメイトになり、やがて付き合い始め、恋人関係を続ける努力やケアをしあう、そんな2人の生活を丁寧に描いています。

　この繊細な作品を読み解くためにどうしても欠かせない大きな2つの要素について、少しだけ説明したいと思います。

　1つ目は、「0℃」「Jのはなし」「ままならぬままに 」に深く関係するレズビアン・アイデンティティについて。2つ目は、「502（Bad gateway）エラー」「ままならぬままに 」、そして現在の韓国フェミニズム作品を読み解くために欠かせない脱コルセット運動についてです。

●

　さて、レズビアンはいつからレズビアンになるのでしょうか？　小学校に入学する頃に天からの啓示を受け「私はレズビアンだ」と目覚める、というようなことはありません。親切な近所のお姉さんや物知りのお婆さんが、こっそり「あなたはレズビアンだよ」と教えてくれる、ということもまずありません。ほとんどの場合、異性愛者と同じように、間違いだらけのテレビのバラエティ番組やネット上の書き込みや、同じクラスの子のいじわるな音声で、その存在を知ります。そこから長い時間をかけて、自分とレズビアンという単語との折り合いをつけてゆくのです。

　当然ながら、自分とレズビアンの間にまったく関係性を見出せないという方も多くいます。「0℃」のヨンジュがその1人です。ヨンジュはきっと心から、自分はレズビアンではないと考えていると思います。それは、所詮ワンナイトの遊びだからかもしれませんし、社会で語られるレズビアン像が歪みまくっているせいかもしれませんし、他の理由があるのかもしれませんが、作品の中では

語られません。ヨンジュはレズビアン・アイデンティティを持っていないが、している行動はレズビアンであると説明できます。

そんなヨンジュの態度に戸惑っているのが主人公の「私」です。「私」にとってレズビアンであるということは、とても重要な問題です。レズビアンの問題は、すなわち「私」の問題でもあります。

アイデンティティは、浮き輪のようなものだと思います。残酷な社会の中で、死なないように自分を支えてくれるものです。今まさに溺れてしまいそうな人はしがみついて絶対に手を離さないものですが、安全な環境に移動したら、要らなくなってしまうこともあります。

レズビアンかもしれないと自覚した後も、レズビアンとしての模範的な振る舞いなど誰も教えてくれません。異性愛者と全く切り離された独自の村があるわけでもないですし、経験豊富な長老に会って自分らしく生きるためのアドバイスをもらうなんてこともありません。「ままならぬままに」のジュヒとスヒョンのように、女が女を愛する方法も知らないまま、試してみるしかないのです。

そもそも、レズビアンである前に旧態依然な社会システムの中で生きる人間です。皆、この社会で育ち、この社会でお金を稼ぎ、この社会を構成しています。多くの女性がそうであるように、多くのレズビアンも男尊女卑を内面化し、テレビや漫画から提供される恋愛至上主義に感化され、それをなぞろうとします。「Jのはなし」のJが悩んでいるように、男が求める都合の良い女であるべきという社会の圧力はとても強いのです。

痩せたい、女ならば化粧をするべきだ、先輩が言うことは絶対、収入が安定している人と付き合いたい、将来は結婚して実家の近くに新築の家を建てて住みたい。これらはどれもレズビアンの友人たちの口から聞いた言葉です。もちろん、レズビアンも時には加害者になります。若いアイドルに序列をつけて消費し、セクハラや性犯罪に傷つく後輩たちのことを「もっと上手く立ち回ればいいのに」と思いながら見下したりもします。

「502（Bad gateway）エラー」のジヒョンとセミンも、出る杭は打たれる社会の中で生きてきた2人です。この作品は、どうにかこの社会で受ける傷を最小限にしたいジヒョンと、この社会の価値観から抜け出したいセミンの衝突の場面です。セミンが実行しようとしたものこそが、脱コルセットです。

脱コルセット運動については、イ・ミンギョン著『脱コルセット：到来した想像』

（タバブックス刊）が詳しいです。17名の若い女性たちへのインタビューから、その社会現象の全体像を記録する書籍です。長い髪をザックリと刈り上げたり、化粧品をぐちゃぐちゃにつぶして捨てたり、「ままならぬままに」のジュヒとスヒョンのようにブラジャーを燃やしたり、動画や写真では過激にも映る抗議活動ですが、それを実行する韓国の女性たちには明確な理由があるのです。

　2015年に私が初めて参加したソウル・クィア・カルチャー・フェスティバルでは、一般参加者に髪を刈り上げた女性が多くいたことが印象に残っています。つまり、その日以外は、そのような外見の人たちが強く抑圧されているのだと解釈できます。

　また、すぐ隣で行われていた同性愛反対派の大規模な集会では、家族愛と次世代の命が強調されていました。彼らは、娘あるいは息子の役割を果たせない人々を身勝手に嘆き、神に懺悔します。そして、幼い子供たちによるダンスをわざわざ披露し、LGBTQの人々に子供を産み育てる勤めを果たせと迫るのです。そのような論が多くの人からの支持を集める社会なのだと考えられます。

　しかし韓国の事例を引っ張ってこなくても、私たちはすでに今この日本で、十分に知っていることです。

　日本の女性たちは、化粧しないのはマナー違反だという、男性には課されない社会規範と支出を押し付けられています。2019年1月24日に石川優実さんが提唱した、女性が職場でヒールの高い靴の着用を義務づけられていることに抗議する「KuToo」は多くの女性の賛同を得ました。2021年8月6日に東京都世田谷区を走る小田急線車両の中で3人の乗客を刺した男が、「幸せそうな女性を殺したいと思った」と供述しています。駅構内やホームで女性にわざとぶつかる男性の存在も、声を上げる被害女性たちのおかげで広く認知されてきました。最近では、レディース服が、メンズ服より雑に縫製されていて全く機能的ではないことへの抗議が、SNSで散見されます。

　日本も韓国も、女性の方が不便を受け入れ、お金を多く支払わないといけない社会なのです。これら全てを拒否する脱コルセット運動に賛同する読者は多いと確信しています。

　本書は、短い話の中で、レズビアンならばみんなが身に覚えがありそうな日常が切り取られています。隣国に住むレズビアンの物語が日本のレズビアンたちの経験と響き合い、また新たな物語を紡ぎ出す力を与えてくれるでしょう。

アルフィ　Alfie Lee

1993年ソウル生まれ。現代美術を学んだフェミニストで
レズビアン。10歳のとき、種村有菜の『満月をさがして』
を夢中になって読んだことをきっかけに、マンガを描き始
める。本書は初の単著。

ハナ　Hana

東京生まれ。韓国の大学を卒業し、韓国のウェブトゥーン、
ドラマ、小説の翻訳を手がける。

ブラを燃やす。恋をする　KGB003

2024年 5月10日　初版発行

作者　アルフィ
翻訳　ハナ
監訳　安田葵
パブリッシャー　木瀬貴吉
装丁　安藤順

発行　ころから
〒114-0003
東京都北区豊島4-16-34-307
Tel 03-5939-7950
Mail office@korocolor.com
Web-site http://korocolor.com

ISBN 978-4-907239-71-8
C0098　cosh

Korocolor's GraphicNovel with Basue

KGB *(Korocolor's GraphicNovels with Basue)* は、
ころからと書店BSE（合同会社場末）の協働によって刊行される
グラフィックノベルのレーベルです。
アジアルーツの作家を中心としたグラフィックノベルを
紹介していきます。

KGB001

978-4-907239-59-6

KGB002

978-4-907239-68-8